Nous remercions le Conseil des Arts du Canada,
le ministère du Patrimoine canadien et la SODEC
de l'aide accordée à notre programme de publication.

Patrimoine canadien   Canadian Heritage

SODEC Québec

Illustration de la couverture
et illustrations intérieures :
François Thisdale

Édition électronique :
Infographie DN

Dépôt légal : 2e trimestre 1998
Bibliothèque nationale du Canada
Bibliothèque nationale du Québec

234567890 AGMV 0543210

ISBN 2-89051-703-9
10928

GRAND-PÈRE EST UN OGRE

Données de catalogage avant publication (Canada)

Julien, Susanne

Grand-père est un ogre

(Collection Sésame ; 7)
Pour les jeunes de 6 à 8 ans.

ISBN 2-89051-703-9

I. Titre II. Collection.

PS8569.U477G72 1998 jC843'.54 C98-940512-5
PS9569.U477G72 1998
PZ23.J84Gr 1998

SUSANNE JULIEN

roman

ÉDITIONS
PIERRE TISSEYRE

5757, rue Cypihot, Saint-Laurent (Québec) H4S 1R3
Téléphone: (514) 334-2690 – Télécopieur: (514) 334-8395
http://ed.tisseyre.qc.ca
Courriel: info@ed.tisseyre.qc.ca

DE LA MÊME AUTEURE
AUX ÉDITIONS PIERRE TISSEYRE

Collection Sésame

Mes parents sont des monstres, 1997.

Collection Papillon

Le temple englouti, 1990.
Le moulin hanté, 1990.
Le fantôme du tatami, 1991.
Le retour du loup-garou, 1993.
Vent de panique, 1997.

Collection Conquêtes

Enfants de la Rébellion, 1989.
Gudrid, la voyageuse, 1991.
Meurtre à distance, 1993.
Une voix troublante, 1996.
« Le cobaye », dans le collectif de nouvelles de l'AEQJ *Peurs sauvages*, 1998.

Collection Faubourg St-Rock

L'envers de la vie, 1991.
Le cœur à l'envers, 1992.
La vie au Max, 1993.
C'est permis de rêver, 1994.
Les rendez-vous manqués, 1995.
Des mots et des poussières, 1997.

Adultes

Mortellement vôtre, 1995.
Œil pour œil, 1997.

1

UN OUBLI IMPORTANT

Gaspar ne tient plus en place. Il ne cesse de courir d'une fenêtre à l'autre. Il a tellement hâte que ses parents arrivent. Ses vrais parents! Parce que Gaspar a aussi de faux parents. Ou plutôt des parents adoptifs.

Il y a quelques mois, Gaspar a découvert qu'il est un enfant adopté. Il a aussi retrouvé ses véritables parents*. Depuis, il partage son temps entre tous ses parents. Et aujourd'hui, papa et maman Nez Retroussé viennent le chercher.

Le nez écrasé contre la vitre, Gaspar surveille les voitures qui passent devant chez lui.

Une auto rouge pomme...

Un camion bleu bleuet...

Une moto jaune citron...

Enfin, une camionnette brun chocolat. Ce sont eux!

Papa Nez Retroussé klaxonne deux petits coups en se stationnant. Tout excité, Gaspar ouvre grand la porte et se précipite dehors.

Sa maman adoptive le retient par un cri:

---

* Voir *Mes parents sont des monstres,* coll. Sésame, Éditions Pierre Tisseyre, 1997.

— Gaspar ! N'oublies-tu pas quelque chose ?

— C'est vrai, mon bec !

Il revient rapidement sur ses pas et l'embrasse sur les deux joues. Puis il sort de nouveau. Cette fois, c'est son papa adoptif qui le rappelle :

— Gaspar ! N'oublies-tu pas quelque chose ?

— C'est vrai, ma caresse !

Il court se jeter dans ses bras et se serre très fort contre lui. Après quoi, il retourne dehors en sautillant de joie. Ses parents adoptifs lui demandent encore une fois :

— Gaspar ! N'oublies-tu pas quelque chose ?

Le petit garçon les regarde en fronçant les sourcils. Mais que pourrait-il donc oublier ? Les deux adultes pointent du doigt un objet sur le piano.

— Le cadeau ! remarque Gaspar, confus.

Dans sa hâte de partir, il allait laisser derrière lui le plus important : une petite boîte enrubannée qui contient une surprise pour son grand-père. Aujourd'hui, il doit lui rendre visite. Pour la première fois de sa vie, il rencontrera son vrai grand-père. Alors, il a pensé lui offrir un cadeau. Il enfouit le joli présent dans la poche de son manteau. Il peut enfin monter dans la camionnette remplie d'odeurs de chocolat.

2

GÉDÉON

Gaspar s'assoit sur la banquette arrière de la camionnette. Pendant le voyage, il examine ses parents. Quelques rares cheveux se dressent sur leur crâne. Ceux de sa mère sont retenus par une boucle rose. Du poil roux recouvre leurs mains. Leurs gros yeux ronds ressemblent à ceux des grenouilles. Ils ont aussi des oreilles pointues, des dents jaunes et noires et le nez retroussé comme celui d'un cochon.

Bref, ils sont monstrueux! Mais ce sont les plus gentils monstres du monde. Gaspar les aime énormément. Il aime aussi leur métier: chocolatier. Ses parents fabriquent du chocolat. Toutes les sortes de chocolat: noir, blanc, praliné, au lait, fourré à la cerise, au nougat, au caramel, aux noisettes, des truffes, des bouchées, des pastilles...

De partout dans le pays, les gens viennent en acheter. Gaspar, lui, n'a pas à dépenser un sou pour en obtenir. Il peut se gaver autant qu'il le désire dans la fabrique de ses parents. Quel délice!

Mais aujourd'hui, en arrivant à la chocolaterie, on ne lui laisse guère le temps de satisfaire sa passion.

— Vite! Vite! Il faut se dépêcher, s'énerve maman. Si nous ne partons pas tout de suite, nous serons en retard!

— Et grand-père déteste attendre, ajoute papa.

Tandis que maman remplit un panier de provisions, papa entraîne Gaspar à l'arrière de la maison.

— Mon fils, tu vas m'aider à préparer la calèche.

— La calèche? Qu'est-ce que c'est?

Pour toute réponse, papa ouvre la porte de la remise. Le petit garçon voit alors une drôle de voiture. Toute menue, elle est montée sur quatre roues en bois. Elle ne possède ni portes ni fenêtres. Elle est ouverte sur le devant et sur les côtés. Une simple capote permet d'abriter les passagers de la pluie.

— Pour aller chez grand-père, le chemin est étroit. Ma camionnette ne passe pas. C'est pourquoi nous prenons la calèche, explique papa.

Gaspar examine la voiture avec attention. Il tourne autour. Il se met à quatre pattes pour regarder en dessous. Puis il s'exclame :

— Mais... où est caché le moteur ?

Papa éclate de rire.

— Voyons donc, fiston, ça ne fonctionne pas avec un moteur ! Il faut un cheval pour tirer la calèche. Va chercher Gédéon, il broute près du bois.

Gédéon est un mignon poney blanc et brun. Exactement de la couleur de la crème et du chocolat. Sa crinière et sa queue sont tressées et attachées avec des

clochettes et des rubans de toutes les couleurs.

Lorsque l'animal aperçoit l'enfant, il trotte rapidement vers lui. Gaspar sort de sa poche une pomme qu'il a apportée exprès pour lui. Gédéon la croque vivement pendant que Gaspar lui flatte l'encolure.

— Viens, Gédéon, on va faire un beau voyage!

Quelques minutes plus tard, Gédéon est attelé à la calèche et tout le monde est prêt à partir.

3

UNE ENVIE PRESSANTE

La calèche avance au tintement des clochettes. Le fringant petit cheval trottine sur le sentier cahoteux. La famille Nez Retroussé s'enfonce de plus en plus dans la forêt. Gaspar ne s'inquiète pas, mais… elle lui paraît bien sombre, cette forêt. Sans maman ni papa, il n'aurait jamais osé s'y aventurer.

Le sentier devient plus étroit. Les branches des arbres frôlent la capote de la voiture. Gaspar frissonne. Il imagine des loups et des ours cachés dans les bois. Il imagine des monstres qui le guettent. Il aimerait être déjà arrivé chez grand-père.

Tout à coup, le sentier s'élargit et la calèche pénètre dans une vaste clairière. Gaspar entend un ruisseau qui coule en cascade. Un doux parfum de fleurs lui caresse les narines. Il voit des lilas aux branches ployées sous les grappes de fleurs. Il remarque aussi, entre ces arbres, une table de pique-nique.

—C'est grand-père qui a aménagé cet endroit, explique maman. Le chemin est long jusque chez lui. Ainsi pouvons-nous manger en route, tout à notre aise. C'est une halte routière privée. Seule notre famille peut en profiter.

— Et c'est tant mieux parce que j'ai faim! s'écrie papa. Vite, tout le monde à table!

Gaspar ne se fait pas prier pour sauter au bas de la calèche. Maman étale sur la table une nappe à motifs de bonbons. Papa sort les provisions du panier en osier: croissants au chocolat, lait au chocolat, muffins aux pépites de chocolat et des fruits enrobés de chocolat. Le garçonnet s'en pourlèche les babines. Lui qui n'a pas le droit de manger un seul petit morceau de chocolat chez ses parents adoptifs, il s'en donne à cœur joie avec ses vrais parents.

Les yeux fermés pour mieux déguster, Gaspar suce une cerise au chocolat. Hum... sublime! Ses parents sourient de contentement.

Ils éprouvent tant de joie à faire plaisir à leur fils. Une semaine sur deux, Gaspar vit avec eux. Et durant cette semaine, ils le gâtent beaucoup pour rattraper le temps perdu.

Tous s'empiffrent joyeusement. Même Gédéon participe à la fête. Il a la permission de manger les fleurs des lilas et l'herbe grasse de la clairière.

Lorsque son estomac se trouve bien rempli, le petit garçon déclare :

— Hum ! C'était le meilleur pique-nique de ma vie. Mais, maintenant... j'ai envie de faire pipi.

— Va dans le bois, lui suggère papa. Personne ne te verra.

Gaspar court jusqu'à la forêt. Il passe entre quelques arbres et se soulage enfin.

Puis il remarque qu'il entend plus clairement le bruit du ruisseau. La cascade doit couler tout près. Curieux, il se laisse guider par le son. Il avance plus profondément dans la forêt et parvient ainsi au bord d'un joli cours d'eau qui saute de rocher en rocher.

Il aperçoit une grenouille cachée sous une feuille de nénuphar. D'un geste vif, il plonge ses mains dans l'eau pour l'attraper. Celle-ci, plus rapide, se sauve en deux coups de patte.

Au même moment, une loutre sort de l'eau et s'enfuit dans le sous-bois. Gaspar part aussitôt à sa poursuite. Quelle drôle de bête! Son corps long et souple se faufile entre les arbustes. Puis elle s'arrête et se retourne. Elle se dresse sur ses courtes pattes de derrière et surveille l'enfant qui la poursuit. Son museau frémit et elle se sauve de nouveau. Elle recommence ce

manège à deux ou trois reprises. Jusqu'à ce que Gaspar la perde de vue.

Dans quel trou s'est-elle cachée? Le petit garçon a beau la chercher, il ne la trouve pas.

Alors, il décide de revenir à la clairière. Mais doit-il marcher vers la droite ou vers la gauche? Est-ce par là... ou par ici? Gaspar ne sait plus. Gaspar s'est perdu!

4

LE CHÂTEAU

— Papa ! Maman ! crie Gaspar.

Personne ne lui répond. Il n'entend que le ruisseau qui coule et les oiseaux qui pépient. Gaspar tourne en rond, court de tous côtés. Mais tous les arbres se ressemblent. Il ne parvient pas à retrouver son chemin.

Ses yeux se remplissent de larmes. Il crie de nouveau :

— Maman ! Papa ! Où êtes-vous ?

Ses parents ne l'entendent pas. Le petit garçon s'est trop éloigné d'eux. Désespéré, il s'assoit sur une souche et pleure à chaudes larmes. Il demeure ainsi longtemps, longtemps. Jusqu'à ce que ses yeux n'aient plus de larmes. Jusqu'à ce que le soleil commence à descendre derrière les arbres.

« Je ne peux pas rester ici, pense-t-il soudain. Je dois quitter cette forêt avant la nuit. »

Puisqu'il n'y a aucun sentier dans les bois, Gaspar suit le ruisseau. Ce cours d'eau doit bien croiser une route ou passer près d'une maison. Le garçonnet marche le long de la cascade. Il grimpe sur les rochers. Il enjambe les branches et contourne les arbrisseaux.

Mais il fait de plus en plus sombre. Les derniers rayons de soleil disparaissent peu à peu. Gaspar avance à grand-peine, car il ne voit plus très bien où poser les pieds.

Puis, miracle! il entrevoit une lumière entre les arbres. Gaspar redouble d'efforts. Le ruisseau le mène à un large pont de bois. De l'autre côté s'élève une grande maison, une très grande maison. Jamais de sa vie, Gaspar n'en a vu une aussi immense.

On dirait un château. Chaque angle est flanqué d'une tourelle en pierre. Les fenêtres sont gigantesques. Gaspar ne parviendra jamais à ouvrir la porte, elle est beaucoup trop énorme!

Gaspar s'avance vers l'imposante demeure et cogne à la porte. Ses trois petits coups résonnent étrangement à l'intérieur. Malgré cela, personne ne vient ouvrir. Gaspar frappe plus fort et appelle:

— Youhou ! Y a-t-il quelqu'un ?

La porte reste close et nul bruit ne parvient aux oreilles de l'enfant.

— Brrr !... J'ai froid. Mes doigts et mes orteils sont gelés, se plaint-il en grelottant.

Il lève les yeux vers le ciel et il voit des étoiles scintiller.

— Je ne veux pas passer la nuit dehors. Il doit sûrement y avoir une autre entrée.

Lentement, il contourne la maison. Au bas de la deuxième tour, il découvre une trappe basculante dans le mur.

— Tiens, on dirait une porte pour laisser entrer les chats. Une grande chatière !

L'enfant pousse le battant et se faufile à l'intérieur.

5

LE GÉANT

Quelle étrange maison! Le plafond paraît aussi lointain que le ciel. Les chaises et les fauteuils sont tous équipés d'une échelle. Ils sont si hauts quc, sans ccla, pcrsonne ne pourrait s'y asseoir.

Dans la cuisine, une marmite large comme un bain est posée sur un énorme poêle à bois.

Dans le salon, de gigantesques instruments de musique sont

appuyés le long des murs. Gaspar n'en revient pas.

— Qui pourrait bien jouer sur ce piano ou avec ce violon ? Personne n'a les doigts assez gros ni les mains assez grandes. À moins… d'être un géant !

Serait-il entré dans la maison d'un géant ? Il ne se sent pas très rassuré. D'un pas incertain, il inspecte la maison.

Dans la salle de bains, la baignoire ressemble à une piscine. Dans les chambres, les lits pourraient servir de trampolines. La maison est éclairée par des chandelles grosses comme des colonnes. Les livres de la bibliothèque ont la dimension du pupitre de Gaspar.

Le petit garçon entre dans une pièce où les chandelles sont éteintes. Ses yeux s'habituent peu à peu à l'obscurité. Il devine les objets à leur forme. Un large rideau cache le mur du fond. Plusieurs longs bancs sont placés face au rideau. À gauche se dessine l'ombre d'un foyer en pierre. Gaspar plisse les yeux pour mieux distinguer ce qui pend au mur à sa droite.

Il s'approche un peu et murmure pour lui-même :

« Bizarre, on dirait... on dirait des enfants ! »

Le cœur de Gaspar bondit dans sa poitrine.

Les cheveux de Gaspar se dressent sur sa tête.

Les yeux de Gaspar s'arrondissent comme des billes.

Les lèvres de Gaspar tremblotent pendant qu'il s'exclame :

— Des... des enfants !

Il voit des enfants attachés au mur ! De nombreuses cordes les retiennent prisonniers contre le mur. La tête baissée, ils semblent dormir profondément.

— Réveillez-vous ! Réveillez-vous ! crie Gaspar. Je vais vous détacher...

Un claquement sourd le fait sursauter. Quelqu'un a fermé une porte. Le plancher vibre sous les pas pesants qui s'approchent. Le petit garçon n'a aucun doute : le propriétaire de cette étrange demeure vient de rentrer chez lui.

Pris de panique, il court se cacher sous un banc. Juste à temps ! Du coin de l'œil, il voit un géant marcher vers le foyer.

— Brrr ! Il fait froid. Que dirais-tu d'un bon feu pour nous réchauffer, Mistigri ?

— Miaorrrrr…, répond une voix feutrée.

L'enfant reconnaît la gracieuse silhouette qui se frôle contre l'homme. C'est le plus gros chat que Gaspar ait jamais vu de sa vie. Le pelage noir de l'animal brille à la lueur des flammes qui montent doucement. Le visage de l'homme apparaît plus clairement. Une barbe grise lui couvre presque tout le visage. Son sourire montre des dents pointues. Ses yeux sombres lui donnent un air dur et cruel.

Le petit garçon frissonne dans sa cachette. Il a peur. Plus il regarde le géant, plus il est convaincu qu'il s'agit d'un ogre. N'est-il pas grand comme un ogre? N'a-t-il pas l'air aussi méchant qu'un ogre?

Comme un ogre, est-ce qu'il se nourrit de… de petits enfants?

Lorsque le feu est bien pris, le géant se retourne. Son énorme chat cesse de bouger et hume l'air.

— Miaorrr ! fait l'animal.

— Tu as raison, approuve le géant. Il y a une odeur bizarre dans le coin. Ça sent... ça sent le petit garçon.

Gaspar retient son souffle. L'ogre va le découvrir et le manger, c'est sûr !

6

PRISONNIER

Gaspar n'a qu'une idée: quitter cette maison au plus vite. Lorsque le géant se dirige vers le rideau qu'il écarte pour disparaître derrière, le petit garçon en profite. Sans faire de bruit, il quitte sa cachette à quatre pattes. Malheureusement, le gros chat noir le voit ramper vers la porte.

En trois bonds, l'animal se retrouve devant l'enfant. Ils sont nez à nez. En l'examinant d'aussi près, Gaspar se rend compte que ce chat... est une panthère! Une panthère qui le flaire en plissant son museau!

— Tout doux, mon minou, murmure Gaspar qui tremble de peur.

— Raorrr..., ronronne la panthère en s'assoyant devant lui.

— Gentil minou... euh... gentil Mistigri, chuchote l'enfant.

Il lance un coup d'œil par-dessus son épaule. Le géant est toujours derrière le rideau. Si ce n'était de cette panthère, le moment serait idéal pour s'enfuir. Gaspar se relève lentement. La panthère s'étend de tout son long. Elle bloque ainsi le chemin au petit garçon. Pour sortir, il faudrait qu'il l'enjambe.

Gaspar tourne la tête de tous côtés. Il cherche une autre sortie ou une meilleure cachette. Il n'en voit aucune. Il n'y a ni fenêtre ni meuble. Seulement des bancs, une cheminée et des enfants attachés au mur.

Il s'aperçoit alors que le rideau bouge. Le géant va le découvrir s'il reste planté là.

Gaspar a soudain une idée. Et s'il se faisait passer pour un des enfants prisonniers ?

Du regard, il vérifie ce que fait la panthère. Toujours allongée par terre, elle le surveille en ronronnant. Le petit garçon recule de quelques pas. La panthère ne bouge pas. Alors, sans perdre un instant, il se rend jusqu'au mur. La bête féroce le suit des yeux, mais reste couchée. Gaspar plaque son dos contre le mur. Il glisse ses mains sous des cordes, puis il demeure immobile.

Le rideau est maintenant levé et Gaspar se rend compte qu'il ne recouvrait pas une fenêtre. Il cachait une salle de jeux où les meubles sont de grandeur normale. La table, les chaises, la balançoire, le cheval à bascule, les jouets, tous les accessoires semblent à la portée d'un enfant de taille ordinaire.

Le géant s'avance vers les enfants.

—Eh bien! À qui le tour de jouer, aujourd'hui? demande-t-il avant d'éclater de rire.

Personne ne répond. Surtout pas Gaspar qui désire passer inaperçu. Le géant se penche et observe ses prisonniers. L'un après l'autre, il les pointe de son gros doigt.

—Toi? Non, tu as joué la dernière fois. Toi? Non, tu n'es pas

assez habile. Toi? Oui. Et qui s'amusera avec toi...?

Gaspar ferme les yeux pour ne pas voir le visage de l'ogre tout près de lui. Il ne peut s'empêcher de trembler de peur. Il n'ose imaginer ce que ce terrible géant fait aux enfants. Il préfère penser à papa et à maman qui doivent le chercher en ce moment. Il pense à Gédéon, son gentil poney à la crinière tressée et décorée de clochettes. Il y pense tellement fort qu'il entend les clochettes.

L'ogre aussi les entend.

— Tiens, nous avons de la visite! remarque le géant en se redressant.

Gaspar ouvre les yeux. Le tintement des clochettes se rapproche. D'un bond, la panthère se met debout. Elle fait le dos rond comme si elle allait attaquer un ennemi. Sa queue bat lourdement le plancher.

L'enfant perçoit de mieux en mieux les clochettes et le claquement des sabots de Gédéon sur le sol. De ses yeux verts, la panthère fixe l'entrée. Elle s'apprête à sauter sur le pauvre petit poney qui sera là dans un instant. En voyant ce qui se prépare, l'ogre se met à rire.

Gaspar ne peut pas laisser la panthère s'en prendre à Gédéon sans intervenir. Oubliant toute prudence, il hurle :

— Non ! Gédéon, sauve-toi ! La panthère va te dévorer !

Plusieurs cris fusent en réponse à son avertissement.

— Hiiii ! hennit le poney.

— Raorrr ! grogne la panthère.

— Fiston ! s'écrie son père.

— Mon petit! pleurniche sa mère.

Seul l'ogre ne dit mot. Il est trop surpris pour parler.

7

GRAND-PÈRE

L'avertissement de Gaspar n'a pas empêché la panthère de bondir sur le poney. Mais c'est pour jouer.

L'enfant n'en revient pas. Gédéon s'amuse avec Mistigri. Le terrible félin n'est pas si terrible que ça. Au contraire, il joue comme un chaton.

Lorsque maman et papa Nez Retroussé entrent, ils courent vers leur fils pour l'embrasser. Ils lui posent aussi beaucoup de questions :

— Où étais-tu passé ?

— Comment t'y es-tu pris pour te retrouver ici ?

— Pourquoi ne répondais-tu pas à nos appels ?

— Pourquoi t'es-tu éloigné autant dans le bois ?

— Sais-tu que tu aurais pu te perdre ?

— Sais-tu à quel point nous étions inquiets à ton sujet ?

Même l'ogre s'en mêle :

— Qu'est-ce qu'il fait chez moi ? Comment a-t-il bien pu entrer sans que Mistigri le voie ? Pourquoi se cache-t-il ici ?

C'en est trop pour le pauvre Gaspar. Alors, il se met à pleurer :

— Ma... ma... mamaaan ! Pa... pa... papaaa ! L'ogre va me mangeeeer !

Tout le monde se tait autour de lui. Mistigri et Gédéon cessent de jouer. Papa et maman se tournent vers le géant. Le géant regarde derrière lui et demande :

— Quel ogre ? Je ne vois personne.

Papa et maman se retournent vers Gaspar et répètent :

— Quel ogre ? Il n'y a personne.

D'un geste timide, le petit garçon pointe le géant et dit tout bas :

— Celui-là.

Papa et maman jettent un coup d'œil au géant avant d'éclater de rire. Gaspar ne comprend pas. Ses parents ne voient-ils pas tous ces enfants attachés au mur ? Ses parents ne se rendent-ils pas compte qu'ils courent un danger en entrant dans la maison d'un ogre ? Pourtant...

Pourtant, l'ogre rit doucement, lui aussi. Pourtant, l'ogre caresse gentiment Gédéon. Et Mistigri se frotte sur les jambes de papa et de maman.

— Voyons, fiston, dit enfin papa. Celui que tu appelles un ogre est ton grand-père. Jamais il ne te fera du mal.

— D'ailleurs, il n'a jamais fait de mal à personne, ajoute maman.

— Et ces enfants ? Pourquoi les garde-t-il attachés ?

— Des enfants ! réplique le géant. Mais non, ce sont des marionnettes de bois. Je les ai fabriquées pour mon théâtre de marionnettes. Regarde.

Il décroche un des enfants et le donne à Gaspar. Ce n'est qu'à cet instant que le petit garçon s'aperçoit de son erreur. Il tient entre ses bras une poupée de bois aussi

grande que lui. Pour faire bouger la marionnette, des ficelles sont fixées à ses genoux, à ses mains et à sa tête.

Alors, l'ogre n'est pas un ogre? Non, c'est un géant montreur de marionnettes. Mieux encore, c'est son grand-père.

Ce soir là, pour réconforter Gaspar, le géant lui présente le plus drôle et le plus charmant des spectacles de marionnettes. C'est la première fois que le petit garçon assiste à un tel spectacle, mais ce n'est sûrement pas la dernière.

Et le cadeau pour grand-père? Gaspar n'a pas oublié de le lui donner. Le géant le porte épinglé à sa chemise. C'est un médaillon en forme de cœur sur lequel est écrit:

TABLE DES MATIÈRES

SUSANNE JULIEN

L'an dernier, Susanne Julien a inventé un drôle de petit personnage : GASPAR. Depuis, elle ne cesse de rêver à lui et à son étrange famille. Elle s'amuse à lui donner des parents hors du commun.

Si papa et maman Nez Retroussé ressemblent à des monstres, que dire du grand-père ? C'est à cette question que Susanne Julien répond dans ce livre.

Collection Sésame

1. **L'idée de Saugrenue**
   Carmen Marois
2. **La chasse aux bigorneaux**
   Philippe Tisseyre
3. **Mes parents sont des monstres**
   Susanne Julien
4. **Le cœur en compote**
   Gaétan Chagnon
5. **Les trois petits sagouins**
   Angèle Delaunois
6. **Le Pays des noms à coucher dehors**
   Francine Allard
7. **Grand-père est un ogre**
   Susanne Julien

AGMV
MARQUIS
Québec, Canada
2000